Rio de Janeiro
cores e sentimentos
Rio de Janeiro colors and feelings

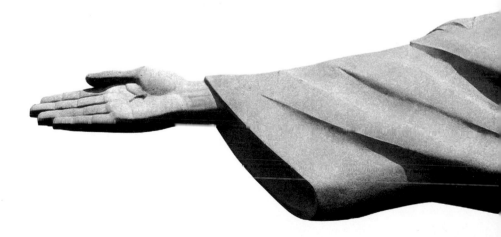

© 2002 by Walter Firmo

Todos os direitos desta edição reservados
Escrituras Editora e Distribuidora de Livros Ltda.
Rua Maestro Callia, 123 - Vila Mariana - 04012-100
São Paulo, SP - Telefax: (11) 5082-4190
e-mail: escrituras@escrituras.com.br
site: www.escrituras.com.br

Dados Internacionais de Catalogação na Publicação (CIP)
(Câmara Brasileira do Livro, SP, Brasil)

Firmo, Walter
    Rio de Janeiro: cores e sentimentos – Rio de Janeiro: colors
and feelings/Walter Firmo; coordenação editorial Raimundo
Gadelha. São Paulo: Escrituras Editora, 2002.

ISBN: 85-7531-032-1

    1. Rio de Janeiro (RJ) – Descrição 2. Rio de Janeiro (RJ) -
Fotografias I. Gadelha, Raimundo. II. Título. III. Título: Rio
de Janeiro: colors and feelings.

02-1898	CDD-779.9981531

Índice para catálogo sistemático:

1. Fotografias: Rio de Janeiro: Estado   779.9981531
2. Rio de Janeiro: Cidade: Fotografias   779.9981531

COORDENAÇÃO EDITORIAL
Raimundo Gadelha

PRODUÇÃO GRÁFICA
Franklin de Paiva

PROJETO GRÁFICO
Bianca Saliba

EDITORAÇÃO ELETRÔNICA
Wildiney Di Masi

TRADUÇÃO
Joana Cañedo (francês)
Juan Figueroa (espanhol)
Mark Ament (inglês)

REVISÃO
Edna Adorno

IMPRESSÃO
Takano Editora Gráfica Ltda.

APOIO CULTURAL:

Impresso no Brasil
Printed in Brazil

Rio de Janeiro

cores e sentimentos

Rio de Janeiro colors and feelings

Walter Firmo

escrituras

São Paulo, 2002

Apresentação

Se um dia tivesse de escrever as minhas memórias, Walter Firmo seria um de seus grandes personagens. Conheço-o há muitos anos, fomos soldados do velho Regimento Sampaio na mesma época e juntos começamos a trabalhar em jornal. Há quase meio século, portanto, sou testemunha privilegiada da carreira desse extraordinário artista brasileiro.

Desde a publicação de suas primeiras fotografias, começou a circular e a firmar-se na imprensa carioca esta opinião jamais contestada: é um craque. Walter Firmo ingressou rapidamente naquele clube fechadíssimo dos fotógrafos de primeira página, da página das melhores fotografias, que os editores escolhem pela beleza e pela sensibilidade jornalística. Não demorou muito para que ele chamasse a atenção de todos pelo seu estilo, o "estilo Walter Firmo", reconhecido por qualquer pessoa que tenha olhos para ver. Um estilo que leva em conta o aspecto visual e a poesia do objeto fotografado, seja em cores ou em preto e branco.

Para orgulho de seu velho amigo, Walter é glória nacional, monstro sagrado da fotografia brasileira. Quem diria que meu parceiro de tantas reportagens iria até ganhar o Prêmio Esso de Reportagem também como autor de textos? Que seria homenageado por seus pares do mundo inteiro?

Ver o Rio de Janeiro pelas lentes de Walter Firmo resulta, portanto, em rara combinação de excelência: a beleza da paisagem e a sensibilidade do fotógrafo.

Sérgio Cabral
Jornalista e escritor

Foreword

If I had to write my memories, Walter Firmo would certainly be one of the most present characters. I have known him for many years, we were both soldiers in the Sampaio Regiment at the same time, and we started working in newspapers together. I have therefore been a privileged witness of this extraordinary Brazilian artist's work for almost half a century.

Since the publication of his first photographs, the following strong and uncontested opinion has been established in the Rio de Janeiro press: he is a master. Walter Firmo rapidly entered the tight knit club of front page photographers, the page which shows the best photographs, those chosen by editors for their beauty and for their journalistic sense. It did not take long for his style to attract everybody's attention, the "Walter Firmo style", recognized by anyone who has eyes to see. A style that takes into consideration the visual aspect and the poetry of the object being pictured, be it in color or in black and white.

Much to the pride of his old friend, Walter is a nation wide glory, a myth in Brazilian photography. Who would have imagined that my partner in so many articles would have got the Esso Award for News Report for his writing too? That he would be honoured by his peers worldwide?

Seeing Rio de Janeiro through the lenses of Walter Firmo is, therefore, a rare combination of excellence: the beauty of the view and the sensitivity of the photographer.

Sérgio Cabral
Journalist and writer

A modo de prólogo

Si un día hubiese de escribir mis memorias, Walter Firmo sería sin duda uno de sus personajes más relevantes. Lo conozco hace muchos años. Fuimos en la misma época soldados del viejo Regimiento Sampaio, y juntos más tarde comenzamos a trabajar en la prensa. Hace casi medio siglo, por tanto, soy testigo privilegiado de la carrera de este extraordinario artista brasileño.

Desde la publicación de sus primeras fotografías comenzó a circular y a reafirmarse en la prensa carioca una opinión jamás contestada: es un monstruo. Walter Firmo ingresó pronto en aquel club reservadísimo de los fotógrafos de primera página, la página de las mejores fotografías, que los editores escogen por su belleza y sensibilidad periodística. No tardaría mucho en llamar la atención de todos con su estilo particular, el estilo Walter Firmo, reconocido por la fuerza de su carácter visual y la poesía del objeto fotografiado, ya sea en color o en blanco y negro.

Para orgullo de su viejo amigo, Walter se ha convertido en gloria nacional, en monstruo sagrado de la fotografía brasileña. Quién diría que mi compañero de tantos reportajes llegaría incluso a obtener el Premio Esso de Reportajes como autor de textos; y que sería además homenajeado por sus colegas del mundo entero.

Contemplar Rio de Janeiro a través del objetivo de su cámara resulta así una rara combinación de excelencia: la belleza del paisaje y la sensibilidad del fotógrafo.

Sérgio Cabral
Periodista y escritor

Présentation

Si un jour je devais écrire mes mémoires, Walter Firmo serait l'un de ses grands personnages. Je le connais depuis des années, nous avons été soldats de l'ancien régiment Sampaio à la même époque et ensemble nous avons commencé à travailler dans la presse. Depuis presque un demi siècle, donc, je suis un témoin privilégié de la carrière de cet extraordinaire artiste brésilien.

Depuis la publication de ses premières photographies, une opinion jamais contestée a commencé à circuler et à s'ancrer dans le milieu journalistique de Rio de Janeiro: il est hors pair. Walter Firmo a rapidement été accepté à ce club très restreint des photographes de première page, de la page des meilleures photographies, que les éditeurs choisissent par la beauté et la sensibilité journalistique. Cela n'a pas été long avant qu'il attire l'attention sur soi par son style unique, le "style Walter Firmo", reconnaissable par tous ceux qui ont des yeux pour voir. Un style qui prend en compte l'aspect visuel et la poésie de l'objet saisi par la caméra, que ce soit en couleurs ou en noir et blanc.

Je suis fier d'observer que Walter est une célébrité nationale, monstre sacré de la photographie brésilienne. Qui aurait dit que mon compagnon de tant de reportages gagnerait le prix Esso de Reportage, et par ses écrits? Que ses pairs tout autour du monde lui rendraient hommage?

Voir Rio de Janeiro à travers les lentilles de Walter Firmo est, donc, une rare combinaison d'excellence: la beauté du paysage et la sensibilité du photographe.

Sérgio Cabral
Journaliste et écrivain

Portal de ferro do Instituto Astronômico de São Cristovão.

Iron entrance to São Cristovão Aeronautical Institute.

Puerta de hierro del Instituto Astronômico de São Cristovão.

Portail en fer de l'Institut Astronomique de São Cristovão.

Corcovado e Pão de Açúcar, sob a luz da lua cheia.

Corcovado and Pão de Açúcar, under a full moon.

Corcovado y Pão de Açúcar, a la luz de la luna llena.

Le Christ Rédempteur et le Pain de Sucre sous la pleine lune.

Futebol na praia
de Copacabana,
no primeiro dia
do ano.

*Soccer on
Copacabana
beach, first day of
the year.*

*Fútbol en la playa
de Copacabana, el
día de Año Nuevo.*

*Football à la plage
de Copacabana au
premier jour
de l'an.*

12

Vista aérea do
Maracanã, o
maior estádio de
futebol do
mundo.

*Air view of
Maracanã, the
largest soccer
stadium in the
world.*

*Vista aérea del
Maracanã, el
mayor estadio de
fútbol del mundo.*

*Vue aérienne du
Maracanã, l'un
des plus grands
stades de football
du monde.*

Vista parcial de espectadores, em jogo do Flamengo no Maracanã.

View of spectators at a Flamengo game in Maracanã.

Espectadores viendo jugar al Flamengo en el Maracanã.

Vue partielle des spectateurs du Maracanã lors d'un match du Flamengo.

Vibração da torcida do Flamengo, a maior do País.

The cheer of Flamengo soccer team supporters. Flamengo has the largest number of supporters in the country.

Hinchada del Flamengo, la mayor del país, vibrando con su equipo.

L'enthousiasme des supporters du Flamengo, le plus grand ensemble de supporters du pays.

Construção
moderna na praia
de Botafogo.

*Modern
construction on
Botafogo beach.*

*Construcción
moderna, en la
playa de Botafogo.*

*Construction
moderne sur la
plage de Botafogo.*

Entardecer na praia do Leblon. Ao fundo, o Morro Dois Irmãos, no bairro do Vidigal.

Sunset at Leblon beach. In the background, Morro Dois Irmãos, in the Vidigal neighbourhood may be seen.

Atardecer en la playa de Leblon. Al fondo, el Morro Dois Irmãos, en el barrio de Vidigal.

Coucher du soleil sur la plage de Leblon. Au fond, la colline Dois Irmãos, dans le quartier du Vidigal.

17

Vista noturna da Praia de Copacabana. Ao fundo, o forte de mesmo nome.

Night view of Copacabana beach. In the background is Copacabana fort.

Vista nocturna de la playa de Copacabana. Al fondo se levanta el fuerte del mismo nombre.

Vue nocturne de Copacabana. Au fond, le fort portant le même nom.

Vista noturna da Igreja da Candelária, monumento histórico do século XVII. A construção levou mais de dois séculos.

Night view of the Candelária church, a monument from the XVII century. Its construction took over two centuries.

Vista nocturna de la iglesia de la Candelaria, monumento histórico del siglo XVII. Tardó en construirse más de dos siglos.

Vue nocturne de l'église de la Candelária, monument historique du XVIIème siècle dont la construction a demandé deux siècles

Escola de Samba do Salgueiro, em desfile na Avenida Marquês de Sapucaí.

Salgueiro samba school, parading on Marquês de Sapucaí avenue.

Escola de Samba do Salgueiro, desfilando en la avenida Marquês de Sapucaí.

Défilé de l'école de samba Salgueiro à l'avenue Marquês de Sapucaí.

Ala das Baianas da Escola de Samba do Salgueiro, em desfile de carnaval.

Baianas in Salgueiro samba school during a carnival parade.

Ala de las Baianas, de la Escola de Samba do Salgueiro, desfilando en el Carnaval

L'aile des Baianas (femmes de Bahia) de l'école de samba Salgueiro, lors du défilé de Carnaval.

Vista da Lagoa Rodrigues de Freitas ao entardecer.

Rodrigo de Freitas lagoon at dusk.

Vista de la laguna Rodrigues de Freitas al atardecer.

Vue du lac Rodrigo de Freitas au coucher du soleil.

Igreja da Penha ao entardecer. É uma relíquia do século XVIII e um dos pilares da história da cidade.

Penha church at dusk. This church is a relic of the XVIII century and one of the pillars of the history of this city.

Iglesia de la Penha al atardecer. Es una reliquia del siglo XVIII, y uno de los pilares de la historia de la ciudad.

Eglise de la Penha au coucher du soleil. Une relique du XVIIIème siècle et l'un des piliers de l'histoire de la ville.

23

Monumento aos Mortos da Segunda Guerra Mundial, ao nascer do dia.

Monument to those who died in the Second World War, at sunrise.

Monumento a los caídos en la Segunda Guerra Mundial, con la primera luz del día.

Monument aux morts de la Deuxième Guerre Mondiale, à l'aube.

Imagem de alunos do Colégio Militar refletida em poça d'água na Avenida Presidente Vargas.

Image of Military School students reflected in a puddle on Presidente Vargas avenue.

Imagen de alumnos del Colegio Militar reflejados en un charco, en la avenida Presidente Vargas.

Image des élèves de l'école militaire réfléchie sur une plaque d'eau à l'avenue Presidente Vargas.

Pinturas expostas à venda nas calçadas da praia do Leme.

Paintings exhibited for sale on Leme beach.

Cuadros a la venta expuestos en el paseo marítimo de la playa de Leme.

Des peintures en vente sur les trottoirs de la plage du Leme.

Arco do Teles,
Praça XV, centro
do Rio de Janeiro.

*Teles Arch, Praça
XV, centre of Rio
de Janeiro.*

*Arco do Teles, en
la Plaza XV,
centro de Rio de
Janeiro.*

*Les arches du Teles,
Place XV, au
centre ville de Rio
de Janeiro.*

Estátua de Dona Leopoldina. Ao fundo, o Museu Nacional, que serviu de morada ao Imperador D. João VI.

Statue of Dona Leopoldina. In the background the National Museum may be seen. This was the residence of Emperor D. João VI.

Estatua de Dona Leopoldina. Detrás el Museo Nacional, que fue en su día residencia del Emperador D. Joao VI.

Statue de Dona Leopoldina, impératrice du Brésil. Au fond, le Musée National, où a vécu l'empereur Don João VI.

Pôr-do-sol na
praia de
Copacabana.

*Sunset on
Copacabana
beach.*

*Puesta de sol en la
playa de
Copacabana.*

*Coucher du soleil à
Copacabana.*

Vista parcial do
calçadão da praia
de Copacabana.

*Detail of the
Copacabana beach
sidewalk.*

*Paseo marítimo de
la playa de
Copacabana.*

*Vue partielle du
trottoir de
Copacabana.*

Praia de Ipanema com traves de futebol em primeiro plano.

Ipanema beach, goal posts in the foreground.

Porterías de fútbol en la playa de Ipanema.

La plage d'Ipanema avec des buts de football au premier plan.

Confeitaria Colombo, uma das mais
tradicionais do Rio de Janeiro.

*Colombo bakery, one of the most traditional
in Rio de Janeiro.*

*Confitería Colombo, una de las más típicas de
Rio de Janeiro.*

*Pâtisserie Colombo, l'une des plus
traditionnelles de Rio de Janeiro.*

Na Baía de Guanabara, a Ilha Fiscal, onde aconteceu o último baile do Império. Ao fundo, a Ponte Rio-Niterói.

Fiscal Island, in Guanabara Bay, location of the last imperial ball. In the background the Rio-Niterói bridge may be seen.

Ilha Fiscal, en la bahía de Guanabara, donde tuvo lugar el último baile del Imperio. Al fondo, el puente Rio-Niterói.

Dans la Baie de Guanabara, l'île Fiscal, où le dernier bal de la monarchie a eu lieu. Au fond le pont Rio-Niterói.

Celebração de Iemanjá, no Ano Novo. Praia da Macumba.

Homage to Iemanjá (Goddess of the Sea), on New Year's day. Macumba beach.

Celebración de Iemanjá, en el Año Nuevo. Playa de la Macumba.

Culte à Iemanjá, la déesse de l'eau, au réveillon du Nouvel An. Plage de la Macumba.

Bondinhos do Pão de Açúcar vistos da Praia Vermelha.

Pão de Açúcar cable cars seen from Vermelha beach.

Funiculares del Pão de Açúcar vistos desde la playa Vermelha.

Téléphérique du Pain de Sucre vu de la plage Vermelha.

Garoto fazendo um castelo de areia na praia de Copacabana.

Boy making a sand castle on Copacabana beach.

Niño haciendo un castillo de arena en la playa de Copacabana.

Garçon construisant un château de sable sur la plage de Copacabana.

36

Vista parcial dos
Arcos da Lapa,
centro boêmio da
cidade.

*Partial view of the
Lapa Arches,
bohemian center
in Rio de Janeiro.*

*Vista parcial de los
Arcos da Lapa,
centro bohemio de
la ciudad.*

*Vue partielle des
arches de Lapa au
centre bohème de
la ville.*

Morro da Mangueira, tradicional reduto de sambistas e poetas populares.

Morro da Mangueira, traditional place for sambistas and popular poets.

Morro da Mangueira, tradicional rincón de sambistas y poetas populares.

Colline de la Mangueira, lieu traditionnel de rencontre des compositeurs de samba et des poètes populaires.

Garoto empina pipa no Morro do Salgueiro, Tijuca.

Boy flies a kite on Morro do Salgueiro, Tijuca.

Un muchacho vuela una cometa en el Morro do Salgueiro, Tijuca.

Garçon jouant au cerf-volant sur la colline du Salgueiro, au quartier de la Tijuca.

Vista panorâmica da
Lagoa Rodrigo de Freitas.
Ao fundo, o Morro Dois
Irmãos e a Pedra
da Gávea.

*Panoramic view of Rodrigo
de Freitas lagoon. In the
background, Morro Dois
Irmãos and Pedra
da Gávea.*

*Vista panorámica de la
laguna Rodrigo de Freitas.
Al fondo, el Morro Dois
Irmãos y la Pedra
da Gávea.*

*Vue panoramique du lac
Rodrigo de Freitas. Au fond,
la colline Dois Irmãos et la
Pierre de la Gávea.*

41

Vista noturna da Igreja Nossa Senhora da Glória do Outeiro, onde foi batizado o imperador do Brasil D. Pedro II.

Night view of the Nossa Senhora da Glória do Outeiro church, where Brazilian emperor D. Pedro II was baptized.

Vista nocturna de la iglesia Nossa Senhora da Glória do Outeiro, donde fue bautizado el Emperador de Brasil D. Pedro II.

Vue nocturne de l'église Nossa Senhora da Glória do Outeiro, où l'empereur Don Pedro II a été baptisé.

Vista noturna do
Pão de Açúcar,
bairro da Urca.

Night view of the
Pão de Açúcar,
Urca
neighbourhood.

Vista nocturna del
Pão de Açúcar,
barrio de Urca.

Vue nocturne du
Pain de Sucre, au
quartier de l'Urca.

43

Baía de Guanabara. Ao fundo, o Pão de Açúcar.

Guanabara bay. In the background Pão de Açúcar (Sugar Loaf) may be seen.

Bahía de Guanabara. Al fondo el Pão de Açúcar.

Baie de Guanabara. Au fond, le Pain de Sucre.

Palácio Guanabara, sede do Governo do Estado do Rio de Janeiro.

Guanabara Palace, office of the Governor of the State of Rio de Janeiro.

Palacio Guanabara, sede del Gobierno del Estado de Rio de Janeiro.

Palais Guanabara, siège du gouvernement de l'Etat de Rio de Janeiro.

Vista frontal do
Teatro Municipal
do Rio de Janeiro.

*Front view of the
Municipal Theatre
in Rio de Janeiro.*

*Fachada principal
del Teatro
Municipal de Rio
de Janeiro.*

*Vue frontale du
Théâtre Municipal
de Rio de Janeiro.*

Violão e piano do
maestro Antônio
Carlos Jobim
(1927-1994), em
sua residência.

Piano and guitar
belonging to
maestro Antônio
Carlos Jobim
(1927-1994), in
his house.

Guitarra y piano
del maestro
Antônio Carlos
Jobim (1927-
1994), en su
residencia.

La guitare et le
piano appartenant
à Antônio Carlos
Jobim (1927-
1994), chez le
compositeur.

Amarelinho, um dos mais tradicionais bares da boemia carioca.

Amarelinho, one of the most traditional bars in Rio de Janeiro.

Amarelinho, uno de los más típicos bares bohemios de Rio.

Amarelinho, l'un des bars les plus traditionnels de la bohème de Rio de Janeiro.

Estátua do
famoso músico
Pixinguinha
(1897-1973).

*Statue of famous
musician
Pixinguinha
(1897-1973).*

*Estatua del famoso
músico
Pixinguinha
(1897-1973)*

*Statue du célèbre
compositeur
Pixinguinha
(1897-1973).*

Capela Mayrink,
Alto da Boa Vista,
Tijuca.

Mayrink chapel,
Alto da Boa Vista,
Tijuca.

Capilla Mayrink,
en el Alto da Boa
Vista, Tijuca.

Chapelle Mayrink,
Alto da Boa Vista,
quartier de la
Tijuca.

Bondinho de Santa Tereza na estação do
Largo da Carioca.

*Santa Tereza tram at Largo da Carioca
station.*

*Tranvía de Santa Tereza en la estación del
Largo da Carioca.*

*Tramway de Santa Tereza dans la station du
Largo da Carioca.*

Cristo Redentor, no morro do Corcovado.

Cristo Redentor (Christ Redeemer), on Corcovado hill.

Cristo Redentor, en el Morro do Corcovado.

Le Christ Rédempteur sur la colline du Corcovado.

Alegorias de carnaval. Ao fundo, o relógio da Central do Brasil, a maior estação ferroviária do País.

Carnival floats. In the background the clock at Central do Brasil station, the largest train station in the country, may be seen.

Alegorías del Carnaval. Al fondo, el reloj de la Central do Brasil, la mayor estación de ferrocarril del país.

Allégories de Carnaval. Au fond, l'horloge de la Central du Brésil, la plus grande station ferroviaire du pays.

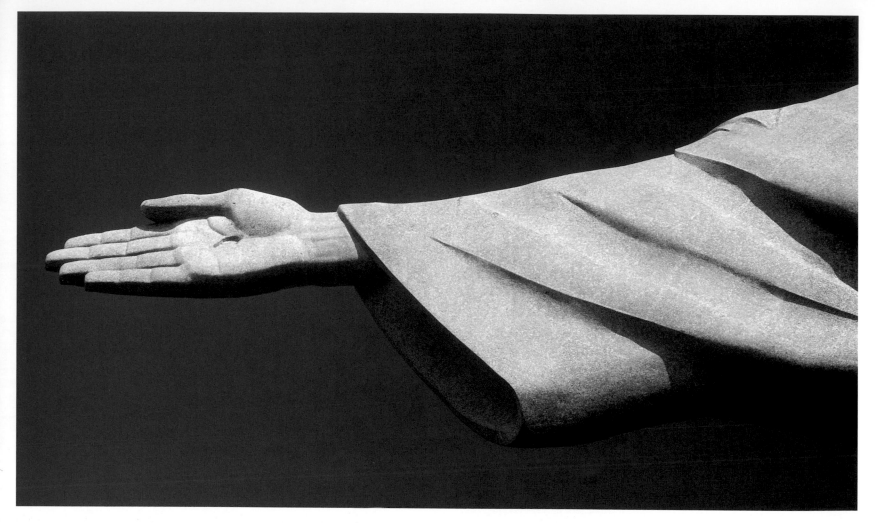

Detalhe do braço direito do Cristo Redentor.

Right arm detail of Cristo Redentor.

Detalle del brazo derecho del Cristo Redentor.

Détail du bras droit du Christ Rédempteur.

54

Vista da Pedra da Gávea, bairro de São Conrado.

View of Pedra da Gávea, São Conrado district.

Pedra da Gávea, en el barrio de São Conrado.

Vue de la Pierre de la Gávea, quartier de São Conrado.

Toldo diante da fachada de um prédio de arquitetura colonial portuguesa.

Awning on the façade of a Portuguese colonial style building.

Toldo ante la fachada de un edificio de estilo colonial portugués.

Bâche devant la façade d'un bâtiment d'architecture coloniale portugaise.

Copacabana Palace, o mais tradicional hotel do Rio de Janeiro.

Copacabana Palace, the most traditional hotel in Rio de Janeiro.

Copacabana Palace, el hotel más tradicional de Rio de Janeiro.

Copacabana Palace, l'hôtel le plus traditionnel de Rio de Janeiro.

Praia de Botafogo. Ao fundo, o Pão de Açúcar, no bairro da Urca.

Botafogo beach. In the background, Pão de Açúcar, in the Urca neighbourhood.

Playa de Botafogo. Al fondo, Pão de Açúcar, en el barrio de Urca.

Plage de Botafogo. Au fond, le Pain de Sucre, dans le quartier de l'Urca.

Relógio antigo e prédios modernos no Largo da Carioca, centro da cidade.

Ancient clock and modern buildings on the Largo da Carioca, center of the city.

Reloj antiguo y edificios modernos en el Largo da Carioca. Centro de la ciudad.

Ancien horloge et immeubles modernes au Largo da Carioca, au centre de Rio de Janeiro.

Venda de batidas
de frutas na Praia
de Grumari.

*Sale of fruit
cocktails on
Grumari beach.*

*Venta de batidas
de frutas –
combinado de
cachaza y zumo de
frutas típico de
Brasil – en la
Playa de Grumari.*

*Vente de cocktail
de fruits à la plage
de Grumari.*

Praia de Grumari,
a 36 km do
centro do Rio de
Janeiro. Toda a
vegetação da área
é preservada.

Grumari beach,
36 km away from
the center of Rio
de Janeiro. All the
vegetation in this
area is being
preserved.

Playa de Grumari,
situada a 36 km.
de Rio de Janeiro.
Toda la vegetación
del área está
protegida.

Plage de Grumari,
à 36 km du centre
de Rio de Janeiro,
où la végétation est
protégée.

Vista aérea da ponte Rio-Niterói, ao entardecer.

Aerial view of Rio-Niterói bridge, at dusk.

Vista aérea del puente Rio-Niterói, al atardecer.

Vue aérienne du pont Rio-Niterói, au coucher du soleil.

Praia de São Conrado. Vista noturna com a monumental Pedra da Gávea.

São Conrado beach. Night view including monumental Pedra da Gávea.

Playa de São Conrado. Panorama nocturno, con la monumental Pedra da Gávea.

Plage de São Conrado. Vue nocturne de la monumentale Pierre de la Gávea.

Barra de São João - RJ

Praia da Barra de São João, no litoral norte, entre Búzios e Rio das Ostras.

Barra de São João beach, on the North coast, between Búzios and Rio das Ostras.

Playa de la Barra de São João, situada en el litoral Norte, entre Búzios y Rio das Ostras.

Barra de São João, située sur la côte nord de l'Etat de Rio de Janeiro, entre Búzios et Rio das Ostras.

Barco com rede de pesca na Praia de Trindade, próxima à cidade histórica de Paraty.

Boat with a fishing net at Trindade beach, close to the historical city of Paraty.

Barco con sus redes de pesca en la playa de Trindade, cercana a la ciudad histórica de Paraty.

Bateau de pêche à la plage de Trindade, proche à la cité historique de Paraty.

Trindade - RJ

Barcos turísticos na praia da cidade de Búzios.

Tourist boats at Búzios beach.

Barcos turísticos en la playa de la ciudad de Búzios.

Bateaux touristiques à la plage de Búzios.

Arredores de Correias, estância turística a
12 km de Petrópolis.

*Outskirts of Correias, tourist estate 12 km
away from Petrópolis.*

Alrededores de Correias, enclave turístico a
12 km. de Petrópolis.

*Environs de Correias, station touristique à
12 km de Petrópolis.*

Vista parcial da Praia de Trindade, na enseada de mesmo nome, próxima a Paraty. Foi incluída na Área de Proteção Ambiental de Cairuçu.

Partial view of Trindade beach, close to Paraty. This beach was included in the Cairuçu Environmental Protection Area.

Vista parcial de la playa de Trindade, en la ensenada del mismo nombre, próxima a Paraty. Fue incluida en el Área de Protección Ambiental de Cairuçu.

Vue partielle de la plage de Trindade qui est récemment devenue aire de protection de l'environnement.

Rio das Ostras, recanto de águas calmas, entre Macaé e Búzios.

Rio das Ostras, popular for its calm waters, between Macaé and Búzios.

Rio das Ostras, pintoresco rincón de aguas tranquilas, entre Macaé y Búzios.

Rio das Ostras, lieu d'eaux tranquilles, entre Macaé et Búzios.

Rio das Ostras - RJ

Praia da Pedra de Guaratiba, famosa pelos bons restaurantes de frutos do mar.

Pedra de Guaratiba beach, famous for its excellent sea-food restaurants.

Playa de Pedra de Guaratiba, famosa por contar con buenos restaurantes especializados en marisco.

Plage de la Pedra de Guaratiba, célèbre par les bons restaurants spécialisés en fruits de mer.

Jardins da Pousada da Alcobaça em Correias.

Gardens of the Alcobaça Inn in Correias.

Jardines de la Pousada Alcobaça, en Correias.

Jardins de l'auberge Alcobaça à Correias.

Correias - RJ

Roupas expostas à venda em Pedra de Guaratiba.

Clothes exhibited for sale in Pedra de Guaratiba.

Venta de ropa en Pedra de Guaratiba.

Vente de vêtements à Pedra de Guaratiba.

Teresópolis - RJ

Cidade Serrana de
Teresópolis. Ao
fundo, o acidente
geográfico
conhecido como
Dedo de Deus.

*Mountain city of
Teresópolis. In the
background what
is known as Dedo
de Deus (Finger of
God) may be seen.*

*Ciudad serrana de
Teresópolis. Detrás,
el accidente
geográfico conocido
como Dedo de
Deus.*

*Teresópolis, ville de
montagne. Au
fond, accident
géographique
connu comme
Doigt de Dieu.*

Pedra do
Cachorro
Sentado, próxima
à cidade de Nova
Friburgo.

*Pedra do Cachorro
Sentado, near
Nova Friburgo.*

*Pedra do Cachorro
Sentado, cercana a
la ciudad de Nova
Friburgo.*

*Pierre du
Cachorro Sentado
(Chien Assis), près
de Nova Friburgo.*

Nova Friburgo - RJ

BÚZIOS - RJ

Praticantes de windsurf na Praia de Manguinhos, Búzios.

Wind surfers at Manguinhos beach, Búzios.

Windsurfistas en la playa de Manguinhos, en Búzios.

Windsurfers sur la plage de Manguinhos, à Búzios.

Nova Friburgo, cidade serrana erguida no topo da Serra do Mar.

Nova Friburgo, city built at the top of the Serra do Mar mountain range.

Nova Friburgo, ciudad levantada en las cumbres de la Serra do Mar.

Nova Friburgo, au sommet des montagnes de la Serra do Mar.

Garças nas areias da Praia da Pedra de Guaratiba.

Herons on the sand of Pedra de Guaratiba beach.

Garzas sobre la arena de la playa de Pedra de Guaratiba.

Hérons sur la plage de la Pedra de Guaratiba.

Baía de Angra dos Reis.
Recebeu a primeira
expedição exploradora
portuguesa no Dia de Reis
Magos, daí o nome.

*Angra dos Reis bay. The
first exploring expedition
landed on this beach on the
Epiphany (Dia dos Reis in
Portuguese); that is where it
got its name.*

*Bahía de Angra dos Reis,
adonde llegó la primera
expedición exploradora
portuguesa, el día de los
Reyes Magos, recibiendo por
ello su nombre*

*Baie d'Angra dos Reis. Elle
a reçu la première mission
d'exploration portugaise le
jour de la Fête des Rois,
d'où son nom.*

79

Vista noturna de Paraty, cidade histórica urbanizada pelos maçons que ali se instalaram no século XVIII.

Night view of Paraty, a historical city that was made urban by the freemasons who established themselves there in the XVIII century.

Vista nocturna de Paraty, ciudad histórica urbanizada por los masones, allí instalados en el siglo XVIII.

Vue nocturne de Paraty, ville historique urbanisée par les maçons qui s'y sont installés au XVIIIème siècle.

Paraty – RJ

Barão de Mauá, local conhecido por suas numerosas e exuberantes cachoeiras.

Barão de Mauá, place famous for its many beautiful waterfalls.

Barão de Mauá, paraje conocido por la variedad y exuberancia de sus cascadas.

Barão de Mauá, lieu célèbre par ses nombreuses chutes d'eau.

Hotel Quitandinha, na cidade serrana de Petrópolis, situada 850 m acima do nível do mar. O hotel abrigou a família real brasileira.

Quitandinha Hotel, in the mountain city of Petrópolis, 850 m above sea level. This hotel was where the Brazilian royal family used to stay.

Hotel Quitandinha, en la ciudad serrana de Petrópolis, situada a 850 m sobre el nivel del mar. El hotel acogió a la familia real brasileña.

Hôtel Quitandinha à Petrópolis. Célèbre hôtel qui a hébergé la famille royale brésilienne dans la ville située dans les montagnes à 850 m au dessus du niveau de la mer.

Paquetá - RJ

Praia da Ilha de Paquetá, situada ao fundo da Baía de Guanabara, litoral sul do Estado do Rio de Janeiro.

Beach on Paquetá Island, at the end of Guanabara bay, south coast of the State of Rio de Janeiro.

Playa de la Ilha de Paquetá, al fondo de la bahía de Guanabara, litoral Sur del Estado de Rio de Janeiro.

Île de Paquetá, située dans la Baie de Guanabara.

Baía de Angra dos Reis. Ao fundo, a Ilha Grande.

Angra dos Reis bay. In the background Ilha Grande.

Bahía de Angra dos Reis. Al fondo, Ilha Grande.

Baie d'Angra dos Reis. Au fond, l'Ilha Grande.

Praia do Abraão, na famosa Ilha Grande, no litoral sul do Estado do Rio de Janeiro.

Abraão beach, on the well known Ilha Grande, south coast of the State of Rio de Janeiro.

Playa de Abraão, en la famosa Ilha Grande, litoral Sur del Estado de Rio de Janeiro.

Plage d'Abraão, à la célèbre Ilha Grande, sur la côte sud de l'Etat de Rio de Janeiro.

Ilha Grande - RJ

Ancoradouro de barcos de pesca e turismo em Paraty, litoral sul do Estado do Rio de Janeiro.

Anchorage for fishing and tourist boats in Paraty, south coast of the State of Rio de Janeiro.

Atracadero de barcos de pesca y turismo en Paraty, litoral Sur del Estado de Rio de Janeiro.

Mouillage de bateaux de pêche et de tourisme à Paraty, sur la côte sud de l'Etat de Rio de Janeiro.

Paraty - RJ

Barco turístico na Baía de Angra dos Reis. Ao fundo, a portentosa Serra do Mar.

Tourist boat in the Angra dos Reis bay. In the background the magnificent Serra do Mar mountain range.

Barco turístico en la bahía de Angra dos Reis. Al fondo, la portentosa Serra do Mar.

Bateau touristique sur la baie d'Angra dos Reis. Au fond la Serra do Mar.

Angra dos Reis - RJ

Detalhe de artesanato em vidro, muito comum em Paraty. Ao fundo, fachada da arquitetura tradicional da cidade.

Art in glass, very common in Paraty. In the background a traditional façade in the city may be seen.

Vidrio artesanal, muy común en Paraty. Al fondo, fachada en el estilo arquitectónico tradicional de la ciudad.

Détail de l'artisanat en verre, très populaire à Paraty. Au fond, façade d'un immeuble colonial typique de la ville.

Barcos na Praia de Itacuruçá, na ilha de mesmo nome, litoral do Estado do Rio de Janeiro. A ilha é ponto turístico famoso.

Boats on Itacuruçá beach, on an island by the same name, coast of the State of Rio de Janeiro. This island is a famous tourist spot.

Barcos en la playa de Itacuruçá, en la isla del mismo nombre, litoral del Estado de Rio de Janeiro. La isla es un famoso enclave turístico.

Bateaux à la plage de Itacuruçá, à l'île du même nom, sur la côte de l'Etat de Rio de Janeiro. L'île est un important centre touristique.

Itacuruçá - RJ

Ilha de Paquetá, também conhecida como a Ilha dos Amores. Os únicos meios de transporte são bicicletas e charretes, alugadas aos visitantes.

Paquetá Island, also known as Island of Love. The only means of transport on the island are bicycles and horse pulled carts, which are rented to visitors.

Ilha de Paquetá, también conocida como Ilha dos Amores. Los únicos medios de transporte permitidos en ella son la bicicleta y los charretes, que se alquilan a los visitantes.

Île de Paquetá, connue également comme l'île des Amours. Les seuls moyens de transports y sont le vélo et la charrette, loués aux touristes.

Palácio dos Cristais, na cidade serrana de Petrópolis.

Crystal Palace in the mountain city of Petrópolis.

Palacio dos Cristais, en la ciudad serrana de Petrópolis.

Palais de Glace, à la ville montagneuse de Petrópolis.

AC	Acre	PB	Paraíba
AL	Alagoas	PE	Pernambuco
AM	Amazonas	PI	Piauí
AP	Amapá	PR	Paraná
BA	Bahia	RJ	Rio de Janeiro
CE	Ceará	RN	Rio Grande do Norte
DF	Distrito Federal	RO	Rondônia
ES	Espírito Santo	RR	Roraima
GO	Goiás	RS	Rio Grande do Sul
MA	Maranhão	SC	Santa Catarina
MG	Minas Gerais	SE	Sergipe
MS	Mato Grosso do Sul	SP	São Paulo
MT	Mato Grosso	TO	Tocantins
PA	Pará		

Situado no sudeste do Brasil, o Estado do Rio de Janeiro tem área de 43.305 km². É o maior produtor de petróleo do País. A população é de 14.391.282 habitantes pelo censo de 2000. Sua capital, o Rio de Janeiro, também conhecida como "Cidade Maravilhosa", é a mais famosa cidade brasileira. Sua área é de 1.255,3 km². Tem intensa atividade turística, graças ao cenário de rara beleza natural e aos edifícios e monumentos históricos. A população totaliza 5.848.914 habitantes pelo censo de 2000.

In the southeast of Brazil, the State of Rio de Janeiro has an area of 43,305 km². It is the largest petroleum producer of the country. The population of the state is 14,391,282 inhabitants, according to the year 2000 census. Its capital, the city of Rio de Janeiro, also known as the "Marvelous City", is the most famous Brazilian city. Rio's area totals 1,255,3 km². It boasts intense tourist activity due to its scenery of rare natural beauty and its historical monuments and buildings. The 2000 census counted 5,848,914 inhabitants in Rio.

Situado en sudeste de Brasil, el Estado de Rio de Janeiro ocupa 43.305 km². Es el mayor productor de petróleo de Brasil. Cuenta con una población de 14.391.282 habitantes, según el censo del año 2000. Su capital, Rio de Janeiro, también conocida como "Cidade Maravilhosa", es la más famosa ciudad brasileña. Ocupa un área de 1.255,3 km². Su actividad turística es muy intensa, debido a la rara belleza natural de su entorno, así como a sus monumentos históricos. Su población es de 5.848.914 habitantes, según el censo del año 2000.

Situé au sud-est du Brésil, l'Etat de Rio de Janeiro occupe 43.305 km². C'est le plus grand producteur de pétrole du Pays. Sa population a atteint les 14.391.282 habitants lors du rescencement de 2000. Sa capitale, Rio de Janeiro, connue également comme la "Ville Merveilleuse", est la plus célèbre ville brésilienne. Rio a une surface de 1.255,3 km². Son activité touristique est intense, grâce à la beauté naturelle du décor et aux bâtiments et monuments historiques. Elle compte 5.848.914 habitants d'après le rescencement de 2000.

Fotógrafo

Nascido em 1937, o carioca Walter Firmo foi o segundo fotógrafo a expor individualmente no Museu de Arte Moderna do Rio de Janeiro – depois do francês Henri Cartier-Bresson. Expôs em Cabo Verde, Buenos Aires, Havana, Moscou e Paris, revelando "a gênese do homem brasileiro, marcado pela dor do viver o dia-a-dia", como interpreta o artista. Trabalhou em importantes jornais e revistas desde o início de sua carreira, na década de 1950, como a *Manchete*, a *Veja* e o *Jornal do Brasil*. Este publicou sua reportagem "100 dias da Amazônia em imagens", que lhe valeu o Prêmio Esso. Hoje dá aulas de fotografia e trabalha como freelancer para a mídia impressa. Prefere trabalhar com projetos pessoais temáticos: subúrbios, festas folclóricas, famílias negras, e os absurdos da suposta "foto inútil", "aquela em que o sentir se impregna nas seduções ardis da metalinguagem".

Photographer

Walter Firmo, born in Rio de Janeiro in 1937, was the second individual photographer to exhibit his work at the Modern Art Museum in Rio de Janeiro – preceded only by Frenchman Henri Cartier-Bresson. Firmo has exhibited in Cape Verde, Buenos Aires, Havana, Moscow and Paris, showing what he describes as "the genesis of the Brazilian man, marked by the pain of everyday life". Ever since the beginning of his career, in the 1950s, his work has been present in important magazines, such as *Manchete* and *Veja*, and newspapers such as *Jornal do Brasil*. The latter published his article "100 days of Amazon images", winning the photographer the Esso Award. Today he teaches photography and does freelance work for the publishing industry. He prefers to work on people-related projects, involving suburbs, folk festivals, Negro families, and the absurdities of what is called the "useless photograph", "photographs in which feeling is intertwined with the cunning seduction of metalanguage".

Fotógrafo

Walter Firmo, nacido en Rio de Janeiro en 1937, ha sido el segundo fotógrafo que se ha presentado en una exposición individual en el Museo de Arte Moderna de Rio de Janeiro, después del francés Henri Cartier-Bresson. Ha expuesto en Cabo Verde, Buenos Aires, La Habana, Moscú y Paris, revelando la "génesis del hombre brasileño, marcado por el dolor del vivir el día a día", como interpreta el propio artista. Ha trabajado en importantes periódicos y revistas desde el inicio de su carrera, en la década de los cincuenta, como la *Manchete*, *Veja* y el *Jornal do Brasil*, en cuyas páginas apareció su reportaje 100 días de la Amazonia en imágenes, por el que obtuvo el Premio Esso. Hoy día imparte clases de fotografía y colabora asiduamente en la prensa. Prefiere, no obstante, trabajar con proyectos personales temáticos, tales como suburbios, fiestas folclóricas, familias negras y los absurdos de la supuesta "foto inútil", "aquélla en la que el sentir se impregna de las seducciones artificiosas del metalenguaje".

Photographe

Né à Rio de Janeiro en 1937, Walter Firmo a été le deuxième photographe à avoir une exposition individuelle dans le Musée d'Art Moderne de la ville – après le français Henri Cartier-Bresson. Il a exposé au Cap Vert, à Buenos Aires, à Havana, à Moscou et à Paris, révélant "la genèse de l'homme brésilien, marqué par la douleur de vivre au jour le jour", comme l'artiste l'interprète. Firmo a travaillé pour d'importants journaux et magazines depuis le début de sa carrière, dans les années 1950, tels que *Manchete*, *Veja* et *Jornal do Brasil*. Ce dernier a publié son reportage "100 jours de l'Amazonie en images" qui lui a valu le prix Esso de journalisme. Aujourd'hui Firmo donne des cours de photographie et travaille comme free-lance pour la presse. Il préfère cependant travailler sur des projets personnels thématiques: les banlieues, les fêtes folkloriques, les familles noires et les absurdes de la dite "photo inutile", "celle où le sentir s'imprègne des séductions rusées du métalangage".

Conheça mais o Brasil em outros livros da Escrituras Editora.
Learn more about Brazil in other books by Escrituras Editora.
Conozca más del Brasil con otros libros de Escrituras Editora.
Découvrez le Brésil à travers d'autres livres d' Escrituras Editora.

Brasil Retratos Poéticos 1
Brazil Poetic Portraits 1
315x220mm

ISBN:85-86303-01-1

Poemas/poems/poèmes
Raimundo Gadelha

Fotos/photos
Araquém Alcântara
Bruno Alves
José Caldas

Brasil Retratos Poéticos 2
Brazil Poetic Portraits 2
315x220mm

ISBN:85-86303-98-4

Poemas/poems/poèmes
Raimundo Gadelha

Fotos/photos
Edson Sato
Fábio Colombini
Maurício Simonetti
Walter Firmo

Amazônia cores e sentimentos
Amazon colors and feelings
165x245mm

ISBN:85-7531-033-X

Fotos/photos
Leonide Principe

Brasil cores e sentimentos
Brazil colors and feelings
165x245mm

ISBN:85-7531-010-0

Fotos/photos
Araquém Alcântara

www.escrituras.com.br

Impresso em São Paulo, SP, em abril de 2002, nas oficinas da gráfica Takano
em papel couchê Image Mate 145g/m², fabricado pela Ripasa e distribuído pela Rilisa (tel.: 0800.116860).
Composto em Agaramond, corpo 8.5pt.

Não encontrando este título nas livrarias,
solicite-o diretamente à editora.

Escrituras Editora e Distribuidora de Livros Ltda.
Rua Maestro Callia, 123 - Vila Mariana – 04012-100 São Paulo, SP
Telefax: (11) 5082-4190 - http://www.escrituras.com.br
e-mail: escrituras@escrituras.com.br (Administrativo)
e-mail: vendas@escrituras.com.br (Vendas)
e-mail: arte@escrituras.com.br (Arte)